李尧天

天津人民美术出版社

李尧天

1940年生，重庆涪陵人。

1964年毕业于新疆艺术学院美术系。

1980年调入新疆画院中国画院研究室从事专业创作。中国美术家协会会员，国家一级美术师。早期从事连环画创作，上个世纪80年代开始中国画创作。绢地中国画长卷《泪泉》和重彩连环画《大小尉迟在京城》分别入选第六届、第九届全国美术作品展览；《草原姐妹》等三幅中国画作品被中国美术馆收藏(其中《婆媳》入编《中国现代美术全集》)；1999年被中国文联评选为"99中国百杰画家"。现任中国美术家协会新疆创作中心副主任、新疆美术家协会中国画艺委会副主任。主要作品有《草原魂》、《多郎乐手的歌》、《尼雅引水人》、《多郎麦西来甫》等。

丛书总编：岳增光　　责任编辑：高虹　　封面设计：刘庆和　　封底篆刻：陈平

图书在版编目(CIP)数据

走近画家. 李尧天／李尧天绘. —天津：天津人民美术出版社，2004　　ISBN 7-5305-2659-6

I.走… II.李… III.中国画—作品集—中国—现代 IV.J222.7

中国版本图书馆 CIP 数据核字(2004)第 092372 号

走近画家　天津人民美术出版社出版发行

李尧天　天津市和平区马场道150号　邮编：300050　电话：(022) 23283867

出版人／刘建平　2005年2月第1版　2005年2月第1次印刷　开本：889×1194毫米　1/16　印张：3

新华书店天津发行所经销　北京经纬印刷厂印刷　印数：0001-3050

ISBN 7-5305-2659-6/J·2659　定价：22.80元

前言

PREFACE

■邵大箴／中国美协理论委员会主任
中央美术学院教授、博士生导师
《美术研究》杂志社社长

中国画的发展寄希望于现在的中青年艺术家。他们从20世纪走来，迎着新世纪的朝霞，怀着对未来的憧憬与期望。上世纪的社会动荡与激烈变革，以及在此过程中中国画所遇到的挫折，它所受到的洗礼，还有它获得的难得的发展机遇，都给现在的中青年艺术家们以深刻的体验与印象。这是承上启下的一代人，他们在先辈们成就的基础上，克服各种困难与阻力，为中国画的革新付出了自己的艰辛。他们选择的创作过程相互有差异，有的偏重传统，走"以古开今"的路；有的偏向于"中西融合"，在融合中寻求创造的新机，同样是借鉴外国艺术经验，有的侧重于西方古典艺术，有的则侧重于现代；但是，他们的大方向是一致的，那就是为创造有时代感的现代中国画而努力。他们都怀着虔诚的心情学习传统，他们更怀着巨大的热忱面向现实生活，注意观察、体验现实中的人与自然。他们在一切外国艺术经验前面，头脑冷静，取分析态度，把认为对自己有用的东西吸收过来，为新的创造服务。20世纪末的中国画面貌，正是由这些中青年艺术家们的创作构成的。

综观这些艺术家的创作，有一点使我们得到启发，那就是，凡是能感动人的作品，必然首先是感情真挚的。感情的真，是绘画必具的重要品格。绘画中感情的真来源于作者对生活、对艺术的真诚感受。来源于作者的素质与修养。其次是对技巧的重视，形成技巧的因素是脑、心、手的统一，绝不是像有些人所说的那样，绘画技巧仅仅是手工技艺，是没有观念与思想的。其实，即使是纯粹的"手艺"，艺术家们也不应歧视，殊不知要真的掌握一门技艺，也是需要付出毕生精力的。我之所以说上面一段话，是因为有人至今还散布鄙视中国画的言论，以为现代艺术崇尚观念，有了观念就有了一切；以为在现代化的社会，用手绘出来的、写出来的中国画已无存在的价值与意义。其实，中国画是最有人性、最能真切传达人的感情的艺术表达方式。它的观念通过含蓄而有诗意的笔墨语言传达出来，在高科技社会，在重物质的新时代里，它以其丰富的感情内容和特有的精神性，感染和熏陶人的视觉与心灵。它有广阔的发展空间，这是毋庸置疑的。

《走近画家》丛书所介绍的中青年画家，都已有自己独立的艺术面貌，有的已在艺坛享有盛名。他们的作品，他们的艺术经历，他们的艺术主张与观念，肯定是人们、特别是热爱艺术的人们所关心的。相信这套丛书的出版，会受到社会各界的欢迎。

■ 王树生

寄 情 笔 墨 间

□多郎木卡姆乐手的歌　120cm × 240cm　2004 年

李尧天的重彩人物，继承了我国古代石窟壁画艺术的厚重画风，大胆地借鉴了西方绘画技巧，画面丰富，色泽鲜艳，极富表现力。在光影、色彩冷暖对比方面都有所创新。如《草原魂》，画家笔底的草原石人，是那样的混混沌沌，厚重而又沉稳，加之画面飘扬的幡，使人想到遥远的古代文明，这是画家给予人们的深层次的思索。

李尧天的新疆风情画，则源于他扎实的南疆生活。他在喀什地区的麦盖提县工作和生活了16年，直到80年代初才进了新疆画院。他熟悉南疆维吾尔族人民的生活，并结交了许多纯朴、善良的维吾尔族农民朋友。他的这类画，画面大都画有毛驴，他深知毛驴在南疆人民生活中的作用，许多人家可以没有自行车，但不能没有一头小毛驴，因为赶巴扎、下地、买东西都离不开它。他笔下的毛驴，虽貌不惊人，却憨态可掬。他画毛驴不是孤立的，往往和人有着千丝万缕的联系，画面有驴便有人，毛驴在他眼里，已经不仅仅是一种动物，而是南疆特有的一种生活、一种风情。因而，他画毛驴，所寄托的感情是非常纯朴而且非常深厚的。

尧天君的画，无论是哪一种风格，从画里流泻的都是坦诚，是天趣纯真，是情感的倾注。他寄情笔墨，追求的是自我。

■ 闵荫南／新疆书画研究院院长

纯真的李尧天

■ 1992年在特克斯河谷

■ 2000年在草原石人旁留影

■ 2001年11月在徐州

走近李尧天，你会感到他人之淳朴，画之纯情。

李尧天善画工笔重彩，他描绘那夜幕篝火中的刀郎舞，似乎在诉说着一个古老民族历史岁月的悲壮与苍凉。他善画连环画，他用连环画再现民族间友好交往，和睦团结的真实而又美丽的历史故事。近年来他又倾心于边地水墨风情画的创作。他笔下的小毛驴群无不楚楚动人，情态可掬，呈现出童稚般的天趣。他画的骑着毛驴轻松赶程的维吾尔族妇女，扬着笑脸，一路春风。而那驮着沉甸甸的柳条筐的驴群，在响鞭声中奔向巴扎，像一抹流动的红霞。

李尧天自艺术学院毕业后，便去了麦盖提县，他在那儿扎根生活了十多年，他热爱那一方水土，他融入了那儿的乡风乡情中。如诗如画的风光，淳朴的民俗风情，是他不竭的创作源泉。他的生活感受是真且深的，这自然就有了画的美感与纯情了。

李尧天的画品与人品是浑然一体的，这成就了一个纯真的艺术家李尧天，他做人作画，不流俗，不媚势。他热爱生活，直视人生，他的心地永远是明媚的春天。

4

彩 墨 绘 西 域
——记著名画家李尧天

李尧天早年从事连环画创作，曾出版连环画《魔鬼城的传说》、《红花的故事》、《克孜勒山下》(与人合作)、《大小尉迟在京城》等，颇受少年儿童的欢迎。80年代初，尧天便迈进中国画的殿堂，从事国画创作，如鱼得水，似鸟飞天。尧天创作的重彩画，吸收了西域石窟壁画的技法，厚重朴实，重叠交叉，着重色彩表现，再加之吸收西洋画的构图意识，色彩造型、冷暖变化，对比和谐的处理优势，从而形成了自己的独特风格，画面丰富，色彩鲜艳，浓淡辉映，灼灼成春，追求一种西域风情的画风，使他的重彩新画展现出新的笔墨特色。

尧天的重彩画，善于用线、色，加上多变的几何图形集合于一个视点，物体前后交错穿插互掩，寄兴抒怀，随意赋彩，色彩明快，人物鲜亮，神情愉快，体态优美，画面有层次，空间感很强，光与色相融，情与景相会，按照自己的美学理想去塑造自己的人物形象，从而组成了美的画面。例如他创作的《刀郎舞》、《太平鼓》、《草原舞步》、《乡村女教师》等堪称重彩画的佳作。五彩缤纷的颜色，跃动的有生命的线条，一个个多变的美的几何图形，构成了有情趣的画面，是诗，是乐，是歌，也是舞，具有"伊犁特曲"醇酒般的意境，画家的心、神、意、气在作

■2003年和刘大为在杭州

■请刘文西为我题词

■2003年杨之光为我题词

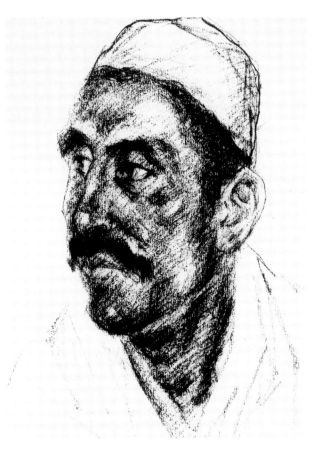

品中得到高度凝聚和体现，神采飞动，画中有情趣，美中有民俗，是西域风情最集中最典型的画面，尽传西域风情欢乐的丰收景象，笔简意赅中求丰厚，色彩鲜艳中显富饶，构思新颖中见匠心，风格洒脱中展华滋。

尧天深悟中国画向来是以笔墨为重，气韵为尚，学养为贵，意境为魂，神韵为宗，追求画外之诗。作为中国画要素的笔墨，它有严格的审美要求，又有无穷无尽的变化，它凝聚了作者的功力、学养、情绪、气度、性灵与追求。尧天在继承传统笔墨的同时，糅进了西方美术的色彩造型和构成意识，使他笔下的中国画令人赏心悦目，玩味无穷。十年画一驴，尧天终于画出了属于他的别开生面的新疆毛驴。尧天画毛驴，以大写意为

之，意在笔先，泼墨挥洒，水墨淋漓，形神兼备，毛驴乖巧，秋波传情，极逗人爱；而毛驴的眼睛画得特别突出，非常明亮，炯炯有神，含情脉脉，似与人语，似与人亲。尧天用笔爽快灵动，用墨浓淡干湿相宜，将全部感情注入毛驴的生命之中。用自己的心境去画毛驴，这正是中国画写意的高明之处。尧天笔下的毛驴神韵独在，使毛驴有了人性美，有了性格，有了精神，有了灵性，有了童趣。他画的群驴，或疏密有致，或浓淡相间，墨迹半干，用浓墨点睛，勾缰，群驴顿时全身灵动，跑跳嘶鸣起来，勃勃英姿，得得蹄声，美美传影，跃然纸上。尧天笔下的毛驴，神态各异，形神兼备，卧驴如磐雄踞，立驴如松傲然，奔驴如风神驰，游驴如龙悠趣，画出了毛驴的神态和灵魂之美，表现了

生命的活力、诗意的旋律，那是生活节奏的乐章，也是他乐观欢腾的心灵折射，一头头毛驴呼之欲出，令人叹为观止。

尧天已过知命之年，正值丰收季节，我们期待他有更多更好的佳作问世，再创辉煌。

■李尧天

学 画 小 记

1964年我从新疆艺术学院美术系毕业后，先参加了农村社会主义教育运动，不久又遇上了"文革"。等回到文化馆也是成天学习、劳动、改造思想。后来可以搞点业务，在农民画辅导工作上做出一些成绩。

那几年连环画发展很好，和几个同仁商议，别的画不了，就画连环画吧。用近两年时间创作完成了《克孜勒山下》(上下册)，彩色稿还参加了全国美展，受到鼓舞。接着又独自画了《魔鬼城的传说》、《红花的故事》、《老虎与兔子》等。1994年我创作的长卷连环画(工笔)《泪泉》入选六届全国美展。1999年创作，准备参加七届全国美展的《大小尉迟在京城》(工笔)阴差阳错入选了九届全国美展。近十年的连环画创作，锻炼了线描技能，也提高了工笔重彩的创作兴趣。

我在调入新疆画院之前，曾在自治区博物馆先后搞过两年的石窟壁画临摹工作，主要是为博物馆临摹和复制一些馆藏出土的绢画和壁画复制品，有时还去石窟现场对临。面对古代遗存的佛教壁画，我真是惊呆了。千百年前涂绘在墙上的朱砂、石青、石绿，好像是昨天才涂上去的。在周围色变后的褐色背景和墨线的衬托下，那些矿物色仿佛是荧光色一般闪亮，太迷人了。1980年调入新疆画院后，在画连环画的同时，就开始画工笔重彩画。

中国绘画无论是石窟、庙观和墓室壁画，还是留存在丝绢和纸本上的作品，主要是通过线和色表现的。文人画兴起后，有"墨分五色，墨就是色"之说。真正的色彩被减弱、淡化，几乎成了"色盲"。新疆古代的佛教美术和历代的工艺美术色彩十分精彩，应该有所继承和发展。从1985年到1995年这十年间，我先后创作了不少重彩画，也是那一段心路历程的记录。回过头来看存在的问题还是色和墨的关系如何处理，对色彩使用"度"的把握等等都解决得不好。

中国画色彩是程式化的、主观性很强的"随类赋彩"。这是因为受历代颜料工艺生产的品种所限。又受传统美学"以少胜多"的影响，用色只能概括、节省。封建社会人物服装色彩有极严格的规定，不可乱用，又迫使人物画创作的色彩均采取工艺设计的程式化套路，以减少麻烦。我们在学院学习的全是西方绘画色彩学，只求色彩写生的真实和丰富，不懂"随类赋彩"和设计上的概括特征。结果是作品中的色彩多了，气韵没有了，中国画的味儿少了。这些"非驴非马"之作，也受到不少同行非议。

关于水墨人物画创作，接触的时间很早。在学院学习时，就学习过龚建新先生的人物头像写生，先后画过不少头像习作。对水墨人物画创作前期着力不够，直到90年代，在徐庶之先生的帮助下，开始集中精力画人物风情画。1979年黄胄先生最后一次来新疆，在喀什近一个月的时间里经常观看他写生和创作，收获很大。

有一段时间，我也学习黄胄先生通过画毛驴解决笔墨的办法，认真补上笔墨课。又比较系统地学习了中国画的理论，开始了从90年代以来的人物风情画的创作实践。

江南风光旖旎，塞外人常用"赛江南"来比喻自己家乡也很美。其实大千世界美不胜收。"大漠孤烟直，长河落日圆"，"一川碎石大如斗"虽有凄凉之感，但也十分美，是种悲壮美。悲壮美似乎更能催人奋进。

新疆少数民族形象极具雕塑感。面部轮廓强烈，起伏明晰，对比鲜明，块面结构显现出的体积感只用线表现易显单薄。我在用线时，强调结构，注意传统中的"骨法用笔"，线的概括跟着结构走。适当加以皴擦，就可以增强体积厚重的整体效果。这里要注意不能过多追求色彩明暗对比，要力争以少胜多，不要与油画的厚重感争高，使宣纸失去明净和洇染的美感。利用素描明暗提高表现力，但不做明暗素描的奴隶。

总之，人物画对西画的技巧只可适度

■1986年和黄胄、徐庶之在一起。

借用，不可死追死求，画僵了，画过了，反而弄巧成拙。

（一）

当今中国画坛人物画家大都喜欢画少数民族人物画。人们习惯称为民族风情人物画。新疆更是受到不少画家青睐。据说当年有不少热血青年就是受到黄胄新疆风情人物画的影响，积极报名支边来疆的。我也是在这种作品的熏陶下学习绘画的。几十年画下来，也只能画这种人物风情画。前几年，新疆有一批青年画家，搞了一次"走出风情"画展。我很高兴地去看了画展，参加了他们举办的座谈会。我也真诚地希望他们成功，也想研究他们是如何拓宽题材，搞出特色的。但总的感觉他们也只是做了一次尝试，表现了一种愿望而已，处在"四周茫茫无路可行"之中。虽然他们对现在人物画创作存在的追求表面花哨，作品雷同和世俗化倾向

不满，想用自己"走出风情"做些探索，精神是好的，但要从一般化、雷同化和世俗化"走出"的也不光是人物画，也不能说只有人物风情画是千篇一律和程式化的。选择何种题材并不是造成某种弊病之根，题材也不会带来雷同化和表现化倾向。如果说要防止这些弊病，并不一定非要从人物风情画中"走出"。少数民族人物风情画是受到群众欢迎的。有些作品没画好，可能与作者对题材开拓不广，把握不准，对少数民族生活了解不多，体会不深，急于求成所致。所以要"走出"的不是选择题材，而是程式化和千篇一律。要想"走出"去，只有"走进"来，走进生活，反复实践，做人物画中的"苦学派"，而不能只是标新立异。

生活是丰富多彩的，绝不是程式化的。不深入生活，反复钻研也就找不到出路。我认为写实主义人物风情画还是大有作为的。

写实主义人物画是近代中国画中成绩最突出的，"艺术为人生"的目标和深入生活、反映现实的创作道路，培养了很多人物画大家。他们没有局限在传统文人画的笔墨情趣中，而是融会中西，广泛吸收一切可以吸收的营养，形成了以徐悲鸿、蒋兆和、黄胄等为代表的，面向人生，反映当代生活的，以写实主义创作结合传统人物画笔墨的创作群体。黄胄就是在深入生活，不断创新中解决人物画笔墨和造型之间矛盾关系最为成功的一位。他通过画驴，提炼了笔墨技巧，从而把人物画的造型和笔墨表现提到一个新的高度。他说"离开造型空谈笔墨只能是胡涂乱抹而已"。在人物画创作中，笔墨和造型要以造型为主。在精心塑造人物形象的实践中，广泛借鉴其他学科的知识，增强表现力，提高笔墨技巧，使作品更具生活情趣、中国特色和个性特征。

■赵文元、刘国辉、李尧天、刘麦收2003年在杭州。

总之，深入生活是防止创作千篇一律的根本途径。注重造型，讲究笔墨，提高综合艺术功力是搞好人物画，其中也包括人物风情画创作的关键。人物画创作还是要做"苦学派"才行。

（二）

素描关系是人们观察和描绘世界万物的一种造型方法的概括。在中国画里首倡"素描为基础"的徐悲鸿，为改良中国画奋斗几十年，成绩斐然。至今虽有不少中国画家反对画素描，但几乎所有美术院校，从始至终仍沿用素描教学方法。分歧和争论从未间断。素描关系是客观存在，你可以不顾它，但它仍在。古代画论讲"石分三面"就是对石头素描关系的概括。水墨画中的黑白灰及远近、浓淡，也是种素描关系。过去的画家只是没有把这种关系看得太重，以防止伤害画面的趣味和个性特征。

人物画的笔墨也就是在生宣和绢上素描关系的技法体系。所谓讲究笔墨不仅是只在技法层面上的讲究，而是从中国人心理需求的神圣和传统审美要求上的趣味，必须特别重视笔墨的情韵。使这种讲究"气韵生动"的东方绘画中水和墨、毛笔和水、毛笔和墨的关系更加富于诗情画意和独特韵味。这是每个画家毕其终生的课题。这和生宣与毛笔、水、墨、色的特殊组合有关，大意不得。必须反复实践，从熟能生巧的长期积累中，自然形成独特风韵和个性特征。

人物画也不能目空一切的惟笔墨为上，因为对人物画创作来说，还有比这更为深邃，更为重要的结构、造型问题要考虑。"以形写神"和为其"传神"是更要着力之处。

有些文人画家把山水、花鸟画中的笔墨系统无限化，提出一些十分偏激的惟技巧观念，对人物画创作是不利的。人物画既有

与时代结合较紧密的优势，就要以关注当代、深入观察、认真创作、反复实践的心态，创作出更多更好的作品，以谢世人。

（三）

徐悲鸿说"古法之佳者守之，垂绝者继之，不佳者改之，未足者增之，西方画可采入者融之"，此话说了半个多世纪。值得录在画室、书房，时时提醒我们。守之者继之者要加油，努力出新作，改之者要坚定信念，和增之者一起，融西方可采用的，丰富自己的创作，搞出更好的作品。

按郎绍君的分法，国画有传统型、泛传统型和非传统型三种。洪惠镇把这三种叫现代文人画、现代院体画和现代派中国画。林木又细分成八种，大致还是这三种。

守之和继之者大约属传统型和现代文人画家，发展空间很大，有政府和民间广大爱好者的支持，市场又十分看好，希望能有

9

□清晨 50cm×68cm 1989年

更大发展。形成中国传统绘画复兴的主力。

改之和增之者大允属泛传统型和现代院体画家，发展空间也很大。有政府和广大艺术院校师生的支持，市场也有启动。应该是当代的主流绘画。应有不愧时代的佳作问世。

悲鸿一生对非传统绘画或者称现代派绘画是敬而远之的。他认为艺术应随时代发展。"走写实的路"。

人物画家随时代发展走写实的路也是当今人物画坛的主流倾向。改革开放以来不少人物画家改画山水、花鸟，成绩也很突出，但不少有才能的人物画家不愿再深入生活抓力作，却是十分可惜的。

近年来关于笔墨之争，有利于中国画创作。画家只认一个理，偏执的观点可能出好作品，但却不能服人。每个画家都有自己

□多郎木卡姆其　280cm×180cm　2001年

的世界，都有自己敬的"神"，这是别人替代不了的。不同型的流派之间，均不能以己之好恶压众人服之，还是百花齐放的好。评论界要主持学术公道，理出脉络，弄清分歧要点，点评是非，加强流派之间的互相尊重，这才是正理。我希望，最偏激的观点只带来更叫喝彩的好作品，而不是伤人。牡丹花和狗尾巴草都要存在，都有各自的位置。

对于少数有"占山头"癖的人，也须保持清醒，至于有些互相进行人身攻击的那就另当别论了。

（四）

"不慕古人，不学时尚，面向生活，融合中西"这是蒋兆和先生1981年在《蒋兆和的国画艺术》教学片中总结他的创作经验时说的。

古人有古人的天地和贡献，只应学习、借鉴，用不着亦步亦趋。至于时尚就更不应成为追求的目标。时尚都是转瞬即逝的。据说巴黎平均三个月就出一个画派，最长不超过半年。时尚成不了经典。时尚在商业运作中，在世界各地都可能成为一时大潮，但商机像过眼烟云，长不了的。时尚从娘胎里就带着偏爱、燥热、冲动和追求一时轰动的先天不足。经典从不与追求轰动结伴。文学艺术更是偏冷的事情。所以，慕古和追时尚都是急功近利的表现，不是出路。正确的应是从生活中来，融和中西绘画技法中有用的结构因素、构成技巧和其他好的东西，通过笔墨技法表现出中国气概和特点。

白描是中国版的素描，是中国传统人物画的造型基础，以白描为基础，重视"骨法用笔"在组织线描的虚实前后，浓淡疏密，长短粗细和急徐转折中，适当给予渲染和皴擦，在墨稿中就解决解剖、透视和结构关系，紧紧抓住造型中的诸多因素，通过对"骨法用笔"的长期实践和理解，悟出"以形写神"的真谛，就可能进入中国人物画自由创作的天地。蒋兆和先生说"重视结构，明暗随后来画"这是非常重要的实践经验。应在实践中反复练习，搞出特色来。

（五）

常读到一些人的文章，太绝对，总想出语惊人，偏颇地让人汗颜。大家在一起议起这些事和人时，都认为这只是商家用吓人广告词抬高自己，想快速出名获利而已。通过发一些绝对性评语，话越大越没边没沿，越叫人瞠目结舌就越有"热点"和"噱头"。不负责任的任意褒贬，大概都与抬高自己有关，敢向名家泼脏水，反衬自己才是"真名

□饕餮图 68cm×68cm 1994年

□瀚海风云 96cm×96cm 1994年

家",大致如此。这也是郎绍君在《中国画批评二题》中提到某些人有"明星情结"和"占山头"意识一样。不要相信这种叫骂式的评论为好。

传统像座大山,山上树木林草繁盛,数不胜数。有人爱花草,有人发现巨石山峰之美,有人欣赏山野樵夫、村姑、隐士。他们都说抓住了传统。虽然山川依旧,林木尚存,但村姑换装,隐士进城,物"是"人"非"大变了。众人无论从何处"上山"只要是为山川增秀,不断努力,都是在为"传统"添砖加瓦。不要你死我活地争高低为好。

每个人心中都有个"传统",都有一位"神",见仁见智十分正常。每个人从"传统"中拿到的东西都有限,不能只认为自己是正宗,别人都是歪道,就是"反传统"也是对"传统"的逆向思维选择。当我,这种选择

到底怎样,还是要看作品。

西方画家可以从东方吸收有利于他们的营养,造就了近代不少大家。东方画家也可以和应该吸收有利于自己的营养,发展和充实自己。对传统文化,既用不着采取革命和改造等社会变革手段,信马由缰地在中国文化山川原野上乱踩,而另起炉灶;也用不着为吃了块洋面包就害怕自己变成黄头发的"洋人"而杞人忧天,不敢大胆借鉴。

"传统"在有思想、有才能的新人面前是种财富。对那些想到艺苑"传统"中抓一把就去叫卖而"占山头"想制定规则的人来说,"传统"其实不是拐杖而是负担和包袱,迟早他会回过头来骂"传统"的。

(六)

不要刻意制造"风格"。友人劝我,要出名就要画别人不画的东西。比如苍蝇、老

鼠、垃圾等,说这才能出风格。当然这是笑话。有些画家用半生的时间画一种风格化的东西,一看就知道是谁画的,说这才是大名家走的路。要知道谁画的,看看作者署名就行了,费那么大的劲做啥?这也是玩笑话。但不要刻意制造"风格",终生为其所囿也是正经话。

张曼华在《刻意个性化也是一种"媚俗"》一文中,对极力"制造识别符号"而陷入僵化、程式化风格制造者的分析、批评是对的。生活之树常青。怎么可能毕其一生只在一棵树上吊着,以一种视角、一种技法、一种模式去套生活,套不同时期、不同对象的作品,仅因其独特而能成为力作?

风格是自然流露。画家用长期形成的习惯,对题材、技法有所偏爱,形成一种类型化的特色是正常的。但最好不要以此为

□秋艳 68cm×50cm 1991年

□泪泉

□泪泉

□泪泉

□泪泉

□泪泉

□泪泉

界，千篇一律地弄成风格类型僵化系列，拒绝感受生活中更加新鲜、生动的人和事，连创作冲动也都符号化了，这不是为了"风格"，使自己成了风格化的奴仆了吗？

齐白石一生数万件作品，他并没有整日为自己作品的所谓风格怎样怎样，要搞成系列化的批量生产。但他的作品却具有十分强烈的个人风格和独创性特色。是不是"为风格反被风格误"；来源于生活，有所真感动，持之以恒，不痴迷"风格"，才会有个人独特的风格，我说不准。卢沉先生说过，没有风格想风格，有了风格又跳不出来(大意)这是终其一生苦学的老画家的肺腑之言，"风格就是人本身"。你的作品就是你，努力画，不怕没有"风格"。

一种情绪可能产生很多种表现形式，一种表现形式就难于表现很多种情绪。

僵化和程式化是远离生活和缺少才情的表现，不要用所谓的"风格化"来宽慰自己，使自己敏感地接受系统麻木而失去感知，变成不能感受新时代步伐和创新激情的神经麻痹的"植物人"。

□高昌月夜 96cm × 96cm 1999 年

□火焰山远眺 68cm × 72cm 1996 年

□天山路 65cm × 65cm 1992 年

□草原魂 68cm × 68cm 1990 年

□草原欢舞　68cm×68cm　1996 年

□乌江别　68cm×68cm　1991 年

□暖暖的毡房 68cm × 68cm 1992 年

□维吾尔女教师 68cm × 68cm 1991 年

□冬日　68cm×68cm　1989年

□牧羊女　68cm×68cm　1990年

□多郎乐手的歌 180cm × 190cm 2000 年

□王瀚凉州词意 135cm × 135cm 1998 年

□克里雅的老人　135cm × 135cm　1998 年

□集市　135cm × 135cm　1999 年

□帕克太克里的清晨　135cm × 135cm　1998 年

□古老的克里雅河　96cm × 96cm　1998 年

□奴尔乡的秋天 135cm × 135cm 1997 年

□小憩 68cm × 68cm 1998 年

□塞草连天暮边风动地吹 68cm × 68cm 1999 年

□阿图什的小花 68cm × 50cm 1990 年

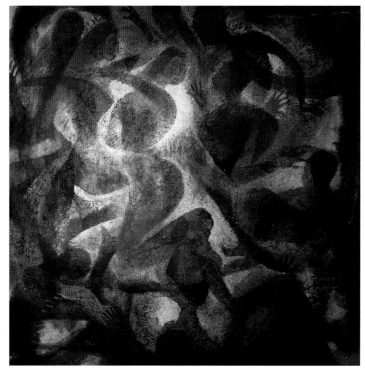

□多郎舞步 68cm × 68cm 1993 年

□吐哈油田太平鼓 68cm × 68cm 1993 年

□易水寒 94cm × 120cm 1994 年

□叶尔羌河边　68cm × 68cm　2002 年

□赶集图　90cm × 96cm　2004 年

□赶巴扎 68cm×68cm 2002年

□玉龙喀什河边 68cm×68cm 2002年

□赶集归来一路歌 96cm × 96cm 2003 年

□秋天割草 68cm × 68cm 2001 年

□邻居 68cm × 68cm 2003年

□叶城石榴红 96cm × 96cm 2003年

□牧 68cm × 68cm 2004 年

□赶集图 96cm × 96cm 2003 年

□集上人海 68cm × 68cm 2002 年

□克里雅河畔 68cm × 68cm 1998 年

□集市上的孩子们　132cm×132cm　2002年

□喜讯　120cm × 120cm　2003 年

□初冬 96cm × 96cm 2002 年

□核桃树下 96cm × 96cm 2003 年

□绿阴 96cm × 96cm 2003 年

□家乡的小树 68cm × 68cm 2000 年

□于阗红柳筐 120cm × 120cm 2003 年

□有粮心不慌 96cm × 96cm 2000 年

□走亲戚 96cm × 96cm 2003 年

□盖新房 90cm×96cm 2002 年

42

□多郎跤手 135cm × 135cm 2001 年

□爱歌的人们 90cm × 96cm 1998 年

□多郎麦西来甫的乐手 180cm×190cm 2004年

□多郎之歌 180cm × 190cm 2002 年

□英吉沙小刀 96cm × 118cm 2001 年